M000197355

PARA ESTAR EN EL MUNDO

Marte y Venus

365 formas de vivir enamorado

Para estar bien

Marte y Venus

365 formas de vivir enamorado

John Gray

OCEANO

EDITOR: Rogelio Carvajal Dávila

MARTE Y VENUS
365 formas de vivir enamorado

Título original: MARS AND VENUS: 365 WAYS TO KEEP YOUR LOVE ALIVE

© 1998, Mars Productions, Inc.

Publicado por primera vez por Random House U.K., Londres, Inglaterra

Publicado según acuerdo con Linda Michaels Limited, International Literary Agents

D. R. © EDITORIAL OCEANO DE MÉXICO, S.A. de C.V.
        Eugenio Sue 59, Colonia Chapultepec Polanco
        Miguel Hidalgo, Código Postal 11560, México, D.F.
        ☎ 55282 0082   📠 55282 1944

PRIMERA EDICIÓN

ISBN 970-651-357-4

IMPRESO EN ESPAÑA / PRINTED IN SPAIN

ÍNDICE

EN BUSCA DEL AMOR

*S*ólo si mantienes el corazón abierto,
podrás saber quién te conviene.

*C*uando creemos —equivocadamente—
que los hombres y las mujeres
son lo mismo, nuestras relaciones
se llenan de expectativas poco realistas.

*C*uando una mujer está dispuesta
a abrir la puerta de su corazón,
los hombres llaman a la puerta.

El saber que nuestra alma necesita
del amor es el conocimiento intuitivo
y el poder para lograr conseguirlo.

$\mathcal{E}$s necesaria una combinación
consistente y monógama de energías
para reconocer a nuestra alma gemela.

$\mathcal{L}$os sentimientos receptivos que
atraen a un hombre son la confianza,
la aceptación y el aprecio.

*C*uando una mujer es capaz
de afrontar aquella parte de sí misma
que necesita amor, es fácil que un hombre
se sienta atraído por ella.

*P*ara que una mujer logre atraer a un
hombre, éste debe sentir que puede marcar
la diferencia en la vida de ella.

El hombre siente más intensamente
la necesidad de ser amado por una mujer
que una mujer la necesidad de un hombre.

Para abrirse al amor, la mujer
debe ser receptiva al apoyo de los demás.

Si te enamoras con facilidad,
no actúes de manera precipitada y deja que
la relación pase la prueba del tiempo.

Cuando nuestros corazones están abiertos,
podemos actuar de acuerdo con nuestro
propósito más alto, que es amar.

Cuando podemos tomar decisiones
con un corazón abierto, somos
capaces de crear una vida mejor.

Cuando un hombre no tiene
que preocuparse por las dificultades que
implica terminar con una relación, es mucho
más propenso a involucrarse en ella.

*P*ara encender sentimientos románticos
la mujer necesita intimidad
romántica mientras que el hombre
necesita intimidad física.

*C*uando un hombre está indeciso,
tal vez se incline a no hacer ni decir
nada que pueda ser utilizado en su contra.

*P*ara establecer una conexión con
el alma de otra persona nuestros
corazones deben estar abiertos.

*L*a atracción de las almas consiste
en reconocer que tú tienes lo que la otra
persona necesita para que su alma crezca,
y que ella tiene lo que a ti te hace falta.

*U*na mujer se siente especial cuando
un hombre está dispuesto a sufrir
el rechazo con tal de conocerla.

*U*na mujer aporta la llama necesaria para
que el romance se encienda lentamente
y para que, tal vez, se puedan prender
luego los leños más grandes.

Cuando a un hombre realmente le gusta
cómo se siente estar al lado de
una mujer, ésta empieza a gustarle más.

El galanteo es muy excitante
para los hombres porque complementa su
capacidad para hacer feliz a una mujer.

Las mujeres disfrutan más cuando
un hombre se arriesga a impresionarlas
que cuando espera a que ellas hagan
algo para impresionarlo.

En vez de que hable sobre sí mismo,
lo que una mujer quiere del hombre
es que le haga preguntas y que
se interese por conocerla.

*U*n hombre seguro y competente
es muy atractivo para una mujer pero
lo que más le interesa de él es su
capacidad para preguntar y escuchar.

*E*l hombre calla instintivamente
sus emociones, dando por hecho que si parece
necesitado su posición se verá debilitada.

A la mujer le emociona saber que la
observan, la escuchan y la desean,
y le tranquiliza la posibilidad de
obtener lo que quiere y necesita.

A un hombre le emociona la idea
de ganarse a una mujer y le alienta esa
sensación que en su fuero interno le dice:
yo podría hacerla feliz.

Cuando una mujer persigue a un hombre,
éste al momento se siente más relajado
y asume una actitud pasiva en la relación.

Antes de compartir su lado vulnerable con
una mujer, el hombre quiere saber
de manera clara que es capaz de hacerse
responsable de sí mismo y de ella.

*C*uando enfrentamos las necesidades
más básicas que supone la supervivencia,
las necesidades más elevadas del amor
y la intimidad adquieren mayor importancia.

*D*esde el punto de vista del hombre
hay un mundo de diferencia entre una mujer
necesitada y una mujer que lo necesita.

*U*na mujer necesita:

...alguien a quien le importe su bienestar,
que entienda lo que está sufriendo
y reconozca la validez de su sentimientos.
...alguien a quien amar libremente
y que sea capaz de corresponder a su amor.
...alguien que la tome en cuenta,
que la ame y la adore.

*U*n hombre necesita:

...alguien que lo acepte tal y como es.
...alguien que confíe en él y dependa
de él por lo que puede aportar.
...alguien que lo admire por lo
que ha hecho o ha tratado de hacer.
...alguien que le dé la oportunidad
de satisfacer sus necesidades.

*U*na mujer necesita:

...alguien en quien confiar,
que sea digno de confianza y no se
vuelva contra ella o destruya
su confianza revelando sus secretos.
...alguien que entienda lo que a ella
le gusta y haga planes para que
ella no tenga que pensar.
...alguien que se anticipe a lo que
ella necesita, quiere o desea, y que le
ofrezca su ayuda sin que se la pida.

Las almas gemelas comparten muchos
intereses pero, con frecuencia, son
más los intereses diferentes.

Para encontrar a tu alma gemela
ve a lugares donde la gente tenga intereses
distintos a los tuyos.

Maneras de encontrar a tu alma gemela:
...haz contacto visual con la persona
que te interesa.
...en una fiesta, cuando una mujer cambia
continuamente de lugar, es más fácil
que un hombre se le aproxime.

Las mujeres son como la luna,
los hombres son como el sol.

*R*ecibir cartas, ramos de flores y pequeños
regalos, noches de luna, decisiones
espontáneas y devorar todo
romance de ensueño.

*C*uando un hombre planea una cita,
se hace cargo de los boletos, maneja
el automóvil y cuida todos los
pequeños detalles: eso es ser romántico.

*I*dealmente hablando, deberíamos estar
satisfechos y sentirnos del todo completos
antes de entrar en una relación íntima.

*M*ientras un hombre no haya experimentado
la realidad de hacer feliz a una mujer,
tendrá una imagen ficticia de ella.

*E*s más probable que encontremos
una pareja cuando no estamos
buscándola desesperadamente
o dependemos de ella para ser felices.

*U*n alma gemela no es perfecta en sí,
pero es perfecta para nosotros.

A la persona ideal
la reconoce el alma, no la mente.

*N*o puedes encontrar un alma gemela
tratando de saber si es la persona correcta.

*U*n alma gemela es alguien con quien,
en el fondo de nuestros corazones, deseamos
compartir nuestra vida.

*C*uando el alma reconoce a su compañero
o gemelo, no estamos reconociendo a alguien
que es mejor que los demás, estamos
reconociendo a alguien con quien es posible
crecer y a quien amar toda la vida.

*U*n buen momento para que el hombre inicie una relación es cuando su deseo de dar es más grande que su deseo de recibir.

*A*ntes de comprometerse, el hombre debe asegurarse de que está preparado para poner lo mejor de sí y no detenerse.

*L*o que hace desfallecer a una mujer
es la acción, aunque no necesariamente espera
que un hombre haga grandes cosas.

*N*o se trata de que alguien
quiera casarse con nosotros: queremos parejas
que nos amen más conforme
nos vayan conociendo, queremos
vivir felices para siempre.

El reto de las citas es encontrar una pareja
que apoye nuestras necesidades físicas
de supervivencia y seguridad, y que también
apoye nuestras necesidades emocionales,
mentales y espirituales.

Elige amar, no sólo por ti, sino por tus hijos,
tus amigos e, incluso, por el mundo.

La manera más fácil de encontrar una pareja
especial o de que alguien nos encuentre
es tener la experiencia de citas positivas.

Entender que los hombres vienen de Marte
y las mujeres de Venus no necesariamente
hará de una cita una relación duradera,
pero hará que la cita sea más divertida,
más confortable y más provechosa.

$\mathcal{A}$l arriesgarte, al seguir a tu corazón
y al explorar relaciones para encontrar
a la persona correcta te estás preparando
para encontrar un amor verdadero y duradero.

$\mathcal{C}$uando las almas gemelas se enamoran,
lo que sucede es simplemente que se reconocen.

Encontrar a la persona adecuada para ti
es como dar en el blanco. Apuntar y dar
en el centro requiere de mucha práctica.
Algunas personas dan en el blanco
a la primera, pero la mayoría no.

Cuando nuestros corazones permanecen
abiertos, es posible sentir la atracción e incluso
enamorarnos de la persona adecuada.

$\mathcal{E}$s tan claro y sencillo como reconocer
que el sol brilla hoy, o que el agua que estás
tomando es fría y refrescante, y que la piedra
en tu mano es sólida. Cuando estás con la
persona correcta, simplemente lo sabes.

$\mathcal{A}$ un hombre le atrae una mujer que,
sin ocultarlo, puede sentirse satisfecha.

*H*ay básicamente cuatro tipos
de química entre las parejas:
física, emocional, mental y espiritual.

*L*a química física genera deseo.
La emocional genera afecto. La mental crea
interés. La espiritual da lugar al amor.
Las almas gemelas comparten las cuatro.

El primer reto en el proceso de salir
- con alguien es renunciar a buscar
a tu alma gemela y más bien prepararte
para reconocer a tu alma gemela
cuando ésta aparezca.

*S*aber con quién quieres compartir tu vida
es el resultado de abrir tu corazón.

*P*ara mantener la atracción, debemos expresar nuestro mejor y más positivo Yo.

*E*ntre mejor aprendamos a expresar libremente quiénes somos y a sentirnos bien con nosotros mismos, más rápido nos moveremos por los niveles del discernimiento.

La distancia no sólo hace que el
corazón se vuelva más cariñoso,
también incita al hombre
a buscar afanosamente a la mujer.

Cuando a un hombre le atrae una mujer,
se emociona porque anticipa que puede
hacerla feliz, y eso le proporciona bienestar.

*U*na mujer nunca debe sentirse
obligada a agradar a un hombre.

*C*uando empezamos a sentir que realmente
queremos conocer a alguien y tener
una relación exclusiva, es muy natural
que de pronto cambiemos y no
nos sintamos tan seguros.

*U*na mujer se vuelve más atractiva
cuando un hombre sabe claramente
lo que ella quiere.

*N*o puedes hacer que alguien se sienta
físicamente atraído por ti. Sólo puedes crear
las condiciones necesarias para
que esa persona descubra qué tipo
de química es posible.

Cuando sentimos química con
una pareja en los cuatro niveles
—físico, emocional, mental y espiritual—
estamos preparados para la intimidad.

Cuando al fin reconocemos
a nuestra alma gemela, al principio
sólo es un encuentro de miradas.

Como en estos tiempos todo ocurre tan rápido,
tendemos a precipitarnos al hacer citas.
Debemos procurar no dar mucho más de lo
que nuestra pareja está dando.

Una mujer necesita entender
qué la hace especial para un hombre.

*T*oda relación es un regalo. Nos brinda
la oportunidad de prepararnos para encontrar
y reconocer a nuestra alma gemela.

*E*ntre más reflexionamos sobre la persona
con quien estamos dispuestos a tener
una relación, más cerca estamos de
encontrar a nuestra alma gemela.

*C*uando una mujer comienza a sentir
los tres niveles de química
—mental, emocional y luego física—
su corazón empieza a abrirse al hombre.

*C*uando una mujer reacciona
a las propuestas de un hombre,
él se siente más conectado a ella.

Cuando una mujer se concentra más
en dar que en recibir, cuando le importa
más agradarlo a él que saber lo que podría
agradarle a ella, el hombre dejará
de mostrarse interesado por ella.

Los cumplidos son la mejor manera
de comunicar nuestra atracción
y permitir que ésta crezca.

*H*acer una cita con alguien
por razones que no encajan en nuestro
nivel de madurez saboteará nuestra capacidad
de movernos a través de las cinco
etapas que anteceden a una cita.

*L*a mujer aprecia un cumplido
particularmente cuando éste se refiere a algo
en lo que ella ha puesto gran esmero.

Cuando una mujer coquetea
con un hombre, simplemente está
interactuando para expresar
el sentimiento de que, tal vez,
él sea el hombre que la hará feliz.

Las primeras citas de un hombre
son como presentar su currículum:
"Aquí estoy; esto es lo que he hecho
y sé hacer. Pídeme lo que sea".

Cuando las parejas que hacen una cita
aprenden las nociones básicas
de la comunicación, pueden experimentar
el éxito, la intimidad y la realización
de su relación, que no sólo los anima
a recorrer las cinco etapas de una cita,
sino también asegura que su amor
continúe creciendo para toda la vida.

La mayoría de la gente encuentra
a su alma gemela cuando no
la está buscando realmente.

Cuando un hombre le comunica
a una mujer que definitivamente le gusta
y que quiere que pasen más tiempo juntos,
esto es música para los oídos de ella.

*U*na vez que piensas que quieres
una relación exclusiva, es importante
que la inicies y veas si te gusta.

*U*n hombre se interesa más por una relación
cuando siente que tiene algo que ofrecer
y compartir.

Si se entiende la dinámica de lo que
provoca la atracción entre los hombres y las
mujeres, las citas no sólo empiezan a satisfacer
nuestra necesidad de intimidad,
también nos ayudan a descubrir y
expresar lo mejor de nosotros mismos.

Las mujeres sienten mayor atracción por
un hombre que tiene confianza en sí mismo.

$\mathcal{E}$l mayor poder que un hombre o una mujer
pueden alcanzar al crear la atracción
es la capacidad de despertar en la otra
persona un poco de lo mismo que ellos son.

$\mathcal{L}$a sensación de estar inspirado
para ser lo mejor que podemos ser,
hace que las citas y las relaciones
sean tan satisfactorias.

La mayoría de las personas necesitan
desarrollar y cultivar la confianza en sí mismas.
Ya existe dentro de la mujer; sólo necesita
la oportunidad de salir y ponerse en práctica.

Una mujer que tiene confianza en sí misma
sabe que ella le importa a los demás
y que quieren ayudarla. No se siente sola.

*U*na mujer fuerte y firme puede ser muy
atractiva, pero debe aprender a expresar
su poder de una manera femenina.

*C*onforme una mujer adquiera confianza
en sí misma, se sentirá menos atraída hacia
los hombres que no sepan responderle
de la manera que ella merece.

*C*uando una mujer tiene confianza
en sí misma, alimenta la confianza de
un hombre y su anticipación del éxito.

*T*ener una actitud positiva y abierta
hacia nuestras diferencias permite
que los hombres y las mujeres se
atraigan más entre sí.

Si se concentra en compartir sus sentimientos
positivos durante una cita, la mujer contribuirá
a asegurar el desarrollo y progreso natural
de la atracción en una relación.

Lo que más atrae de un hombre
a una mujer es la capacidad de éste
de hacerla sentir mujer.

*S*i sabe escuchar amablemente,
el hombre logrará convertir incluso una cita
desilusionante en una experiencia íntima
y gratificante para la mujer.

*A*l tomarse el tiempo necesario para
ser romántico, el hombre tiene la oportunidad
de experimentar y recordar la razón
por la cual lo está siendo.

Un hombre con un propósito resulta
muy atractivo para una mujer.
Cuando tiene un plan, un sueño,
una meta, una visión, un interés o una
preocupación, resulta muy atractivo.

Un hombre se vuelve aún
más atractivo para la mujer cuando
enfoca sus ansias de decisión en ella.

Cuando una mujer se siente atraída
por un hombre exitoso o influyente, en
realidad lo que la atrae es el lado responsable
de éste que hizo posible dicho éxito.

De modo intencional, o sin querer,
nos colocamos en el lugar adecuado para
conocer a una pareja en potencia por la que
experimentamos una química inmediata.

Cada día, sin saberlo, hay gente
que hace lo correcto para encontrar a
su alma gemela. Se coloca en el lugar
adecuado, en el momento preciso,
y a veces sucede el milagro.

Las almas gemelas en esencia
comparten niveles similares de madurez.

$\mathcal{L}$a diversidad de intereses a los que
da lugar la química explica por qué a veces
es tan difícil encontrar un alma gemela.

$\mathcal{S}$i hacemos el esfuerzo de participar
en actividades en las que interviene
gente con intereses diversos,
aumentamos drásticamente nuestras
oportunidades de sentir más química
y encontrar a la persona adecuada.

Cada vez que vas a un lugar distinto, una nueva
parte de ti encuentra la oportunidad de
manifestarse. Una de las razones por las cuales
nos atrae la gente con intereses distintos
es porque su presencia nos estimula.

Las almas gemelas guardan en el fondo
de sí algo que su pareja necesita.

La química emocional nos libra de sentirnos
limitados por nuestras expectativas,
poco realistas, del aspecto que tendrá
o cómo será nuestra pareja ideal.

Sentiremos una inmediata química
con aquella persona que refleje nuestros
propios niveles de madurez o profundidad.

*P*ara encontrar a quien será nuestra alma gemela, y no sólo una pareja segura, se requiere un enfoque fresco, educación y mucha práctica.

*I*ncluso cuando sentimos atracción química por alguien, es muy fácil cometer el error de creer que, simplemente, somos demasiado diferentes para hacer que una relación funcione.

No reconoceremos del todo a nuestra
alma gemela sino hasta que estemos listos para
ello. Debemos conocernos a nosotros mismos
antes de estar en condición para reconocer
a la persona que nos conviene.

El hombre suele ignorar que se siente
atraído, hasta que la mujer
se le presenta de una manera especial.

Si queremos ser felices y amados
toda la vida, es sabio no juzgar
un libro por la portada.

La pasión sólo puede mantenerse cuando
la atracción que sentimos se basa en algo
más que la mera apariencia de una mujer.

LA CONSTRUCCIÓN DEL AMOR

Cuando estás realmente contento con
tu vida, cualquiera que entre en ella
tendrá que hacerla mejor.

El deseo de compartir nuestra vida
con otra persona expresa lo
más profundo de nuestra alma.

En vez de sentirme incómodo
—sentir que yo debería hacerlo todo
y no ser vulnerable— encuentro que me siento
realmente amado cuando velan por mí.

Cuando una persona da un paso
para abrir su corazón, nos hace sentir
un amor más grande a todos.

El amor puede durar para toda la vida, pero requiere dejar a un lado nuestras expectativas sobre la forma de ser y de comportarse de nuestra pareja y encontrar un entendimiento y aceptación mayores.

Los hombres no le temen a la intimidad, ni necesitan años de terapia —son de Marte.

*A*mar es el intento consciente de servir
a tu pareja de acuerdo con sus deseos, y estar
dispuesto a recibir el apoyo de parte de ella
cuando éste sirva a tus intereses.

El compromiso, a veces, ayuda a hacer
las paces con tus diferencias.

Anima a tu pareja a que te diga en
qué está pensando. Si no quiere hablar,
no la presiones.

A veces la persistencia suave es lo único
que se necesita para ayudar a tu pareja
a abandonar sus resistencias.

Con las mujeres, mantenerse en contacto es una
forma de mostrarles que realmente te importan.

85

*D*ale a tu pareja la oportunidad de
que se cuide solo y él te la dará
de que tú sola te cuides.

A los hombres les molesta que se les diga
qué hacer, pero aprecian que les preguntes
si están dispuestos a escuchar.

*V*alorar abiertamente las acciones
de tu hombre es como darle una poción de
amor mágica y secreta; de inmediato
se siente aliviado y calmado.

*A*yuda mucho recordar
que no es responsabilidad de tu pareja
ser el único proveedor de todo lo
que necesitas en la vida.

Lo que conseguimos de una relación tiene más que ver con lo que damos, que con la persona de quien se trata.

Un hombre prospera cuando siente que estuvo ahí cuando hacía falta.

*U*na mujer necesita, básicamente, ser amada
por lo que es, no tanto por lo que hace.

*S*i se da tiempo para sí mismo
el hombre llega a sentirse independiente,
autosuficiente y autónomo.

$\mathcal{E}$n una relación amorosa, reemplazamos nuestra necesidad de amar con la necesidad de amor de nuestra pareja.

$\mathcal{E}$ncontrar el amor verdadero y duradero no significa que vayamos a sentirlo todo el tiempo. Todas las cosas del mundo son cíclicas.

Cuando logramos expresar lo mejor
de nosotros mismos, creamos poco a poco
la buena fortuna, que a su vez atrae a nuestra
vida todas las oportunidades que necesitamos.

La mujer es la joya, y el hombre aporta
la montura ideal para que luzca.

En Marte existe una creencia muy fuerte
y una tendencia instintiva a no desviarse
de una fórmula que funciona.

Nosotros no creamos la química,
pero podemos obstaculizar o
promover su crecimiento.

La mayoría de las mujeres
aún no han aprendido el arte
de ser firmes y femeninas a la vez.

La confianza en uno mismo significa
que siempre obtendrás lo que necesites y que
ahora estás en proceso de obtenerlo.

*U*n hombre respeta lo que dice
una mujer y la escucha cuando,
al hablar, ella da por supuesto que él
quiere escuchar lo que tiene que decirle.

*L*a mujer receptiva es capaz de recibir
lo que le dan sin sentirse ofendida
cuando recibe poco.

La sensibilidad de una mujer resulta
más atractiva cuando es auténtica
y no exagerada.

Lo que da felicidad al hombre
no son tanto las cosas que hace
la mujer, sino la manera en
que ella responde.

La mujer no quiere que el hombre
abandone sus metas en la vida
para que ella sea feliz.

El hombre debe comprender que,
a veces, la mejor manera de ayudar a
una mujer no es interviniendo
directamente, sino estando allí para ella.

*L*os rituales románticos existen para
que la mujer se sienta especial, y se acuerde
de recibir y de no dar demasiado.

*A*l compartir, la mujer se despoja
de la carga que significa
sentirse la única responsable.

Más que necesitar al hombre por razones de supervivencia y seguridad, la mujer lo necesita, sobre todo, para nutrirse emocionalmente y sentirse confortada.

La resonancia de valores crea una base desde la cual es posible sobrellevar nuestras diferencias y encontrar compromisos justos.

Nos sentimos atraídos por una persona
diferente porque queremos satisfacer
el profundo deseo de nuestra alma
de expandirse y abarcar
lo que está más allá de nosotros.

Conforme vamos amando a nuestra pareja,
empezamos a sentir mayor interés
por lo que a ella le interesa.

*U*na buena vida sexual no sólo es señal
de una relación apasionada, también
es un factor esencial para su creación.

*U*n hombre se siente libre de probar
nuevas cosas cuando sabe que
puede volver, cuando quiera, a lo que
ya ha probado y es genuino.

Cada mujer es diferente. Para que un hombre
entienda en verdad lo que ella necesita,
una simple discusión en cierto momento
puede hacer la gran diferencia.

Las respuestas de una mujer a las caricias
del hombre lo dicen todo.

*U*na mujer quiere que la conduzcan
en forma gradual o provocativa al lugar
donde quiere que la toquen.

*C*uando un hombre acepta hacerse
cargo de una mujer, deja que ésta se relaje
y disfrute que alguien se encargue de ella.

Tener a alguien que nos salude al final
del día, que reconozca lo que valemos
y se beneficie de nuestra existencia, le da
a nuestra vida significado y propósito.

Somos más felices cuando amamos.

*D*e manera natural, tendemos
a depender más de nuestra pareja
conforme nuestro amor crece.

El amor que compartimos no siempre es idílico,
pero la esperanza de ser amados seguirá
protegiéndonos del mundo frío e indiferente
que existe fuera de nuestra relación.

En vez de sentirte incapaz de hacer algo,
recuerda y honra a tu ser amado.

Nos sentimos más felices cuando alguien
se interesa por nosotros, nos hace sentir
especiales e importantes, pues entiende nuestros
pesares y celebra nuestros éxitos.

*C*uando tenemos una firme noción
de lo que somos, es posible unirnos
a otra persona sin perder el sentido
sano de nuestra propia valía.

*H*oy en día lo que una mujer necesita
en una relación es un hombre
que respete sus sentimientos.

Cuando escucha y sabe contener
sus emociones, un hombre logra construir
su poder masculino para hacer
que su pareja se sienta más femenina.

Más que nada, los niños necesitan
que su madre se realice como persona.

Cuando hay equilibrio entre amor
y trabajo aumentan sensiblemente
las posibilidades de que el hombre
logre el éxito y lo conserve.

Una vida equilibrada es como un imán
que atrae mayores oportunidades de éxito.

Apoyarse en una relación amorosa ayuda mucho al hombre a alcanzar sus metas.

El hombre crece cuando siente que su apoyo a los demás ha sido exitoso.

Si quiere dar en una medida precisa,
un hombre no necesita dar menos,
sino lo que puede.

Cuando nuestros corazones permanecen
abiertos podemos estar seguros de que
nos acercamos a nuestra meta.

Con el corazón lleno de amor podrás
expresar tu potencial más elevado y
también realizar el mayor anhelo
de tu alma: amar y ser amado.

Recuerda siempre que tu amor es necesario.

*U*n alma gemela es alguien con
la capacidad especial de hacer surgir
lo mejor de nosotros.

*C*uando las relaciones tienen sentido
para nosotros, no cometemos tantos errores.

*I*ncluso en la mejor relación
hay espacio para crecer más.

*L*a atracción física sólo dura para
toda la vida cuando nace tanto de
la química de la mente como de la
que hay en el corazón y el alma.

*P*ara recibir amor de verdad, un hombre
necesita sentir que éste es resultado
de sus esfuerzos y logros, y no explicarlo tan
sólo porque es una persona buena y cariñosa.

*N*o hay nada que guste más a una mujer
que un recado que le demuestre que siempre
están pensando en ella...

A nivel del alma, uno siempre
es el mismo durante toda la vida.
Tú eres tú toda tu vida. El alma es la
parte de nosotros que nunca cambia.

El alma es el aspecto
más duradero de lo que somos.

*U*na vez que empezamos a satisfacer
nuestras necesidades emotivas
en una relación, nuestros corazones
comienzan a abrirse y experimentamos,
en verdad, el amor y la intimidad.

*C*uando el alma desea el matrimonio
con nuestra pareja, sentimos como
si fuera la promesa que vinimos
a cumplir en este mundo.

*C*onforme nos volvemos más autónomos
y maduros, automáticamente comenzamos
a esperar más de nuestras relaciones.

*U*n alma gemela no es perfecta, pero
cuando la conoces y tu corazón está abierto,
lo es, de alguna manera, para ti.

El amor espontáneo por un alma gemela
es la base para aprender a compartir tu vida
con alguien que, en muchos aspectos,
es muy diferente de ti.

Tomarse el tiempo necesario para conocer a
alguien es, a fin de cuentas, la clave del éxito.

Después de conocer nuestros rasgos
positivos estamos listos para lidiar
con los aspectos menos agradables
de nosotros mismos.

Después de haber sido receptiva
a los avances de un hombre y tomado en cuenta
sus esfuerzos, la mujer no le debe nada.

*C*uando una mujer se enamora
llegará a sentir que ya tiene
todo lo que podría desear.

*L*as dudas de un hombre se disipan
no tanto por lo que una mujer llega a
hacer por él, sino por la forma en que ella
responde a lo que él hace por ella.

$\mathcal{E}$l hombre, sin pensarlo, ve una relación como una inversión. Deposita su energía en ella y espera recibir algo a cambio.

$\mathcal{C}$uando el deseo físico de un hombre es también la expresión de su amor por una mujer, es el mejor momento para incrementar el grado de intimidad.

El corazón de un hombre es susceptible
de abrirse por completo a medida
que experimenta una intimidad
física cada vez mayor.

Cuando aparece la persona indicada lo sabes
de inmediato. Y pasas el resto de tu vida
descubriendo por qué él o ella
es la persona adecuada.

Cuando somos capaces de sentir y experimentar
lo mejor de nosotros mismos y de nuestras
parejas, significa que estamos listos para
experimentar todo de ellas y dejar
que ellas experimenten todo de nosotros.

Cuando expresar respuestas positivas
se haya vuelto un hábito automático,
la mujer estará lista para moverse hacia
la etapa de intimidad de una relación.

La química espiritual nos da el poder
de ir más allá de los juicios, las dudas,
las exigencias y las críticas a los
que a veces nos vemos sujetos.

Cuando nuestros corazones están abiertos
y amamos, respetamos y apreciamos a nuestra
pareja, somos capaces de apoyarla aun
cuando no sea tan perfecta como creíamos
en etapas más tempranas.

Conforme la mujer se muestra dispuesta
a vivir una mayor intimidad, se presenta
ante ella la oportunidad de elevarse en olas
crecientes de realización y placer.

Muchos hombres se sorprenden
cuando experimentan una intimidad
mental y emotiva tan plena
como la intimidad física.

Cuando un hombre convive con
su pareja sin la tensión del matrimonio,
pero con el claro reconocimiento
de que quiere compartir su vida con ella,
es capaz de sentir el lado más confiado,
decidido y responsable de ésta.

Cada miembro de la pareja necesita
sentir que tiene el poder
de dar mucho de sí y ser exitoso.

Cuando nuestros actos y reacciones
sirven para sostener el compromiso
del alma, abrimos nuestros corazones
y nos colocamos al nivel de
nuestros propósitos más altos.

Cuando una relación le proporciona a
una mujer todo lo que quiere, mayor es su
motivación para hacer aún mejor las cosas.

*H*ay algo especial en cada mujer,
pero lo que hace a una más especial
para un hombre en particular es la química
especial que él siente por ella.

*S*i encontramos el don, o lo bueno, que hay
en cada relación, tarde o temprano lograremos
que nuestros sueños se hagan realidad.

Cuando has visto lo mejor de una persona,
tu corazón tiene la oportunidad de abrirse.
Con suficiente amor en tu corazón,
estás preparado para experimentar
lo peor de esa persona y, sin embargo,
recuperar el nexo amoroso.

El hombre prospera cuando la mujer
permanece abierta y receptiva
a su interés y a sus esfuerzos por interesarla,
impresionarla y hacerla sentirse plena.

Conforme crece su amor, la mujer
es capaz de discernir si un hombre es o no
adecuado para ella: no por su capacidad
para ser la pareja perfecta, sino porque
ella reconoce el amor incondicional:
"Ésta es la persona por quien estoy aquí
y con quien debo estar".

Una mujer ofrece lo que quisiera
recibir y da por hecho que eso hará que el
hombre se interese más en ella.

La mujer se siente realizada cuando
sus necesidades han sido satisfechas,
mientras que el hombre se siente realizado
cuando logra realizarla a ella.

La mujer piensa, equivocadamente,
que para recibir lo que realmente desea,
debe seguir dando lo que recibe.

El deseo, el interés y la pasión en una pareja nacen de una tensión dinámica. Ésta se crea, despierta o enciende cuando el hombre da y la mujer recibe con gratitud.

El hombre crea una vínculo afectivo de emoción conforme logra hacer feliz a la mujer.

La manera más directa de llegar
al corazón del hombre es elogiando
y apreciando las cosas que provee.

Cuando un hombre recibe algo de una mujer, se
abre para recibir más; cuando una mujer
recibe de un hombre, se abre para dar más.

Cuando una mujer expresa su feminidad
de manera radiante, por lo general está
encarnando tres características básicas de ésta:
seguridad, receptividad y sensibilidad.

La receptividad es la capacidad de beneficiarse
o encontrar algo bueno en cada situación.

Cuando un hombre expresa su presencia
masculina, por lo general está encarnando
tres características básicas de ésta:
confianza en sí mismo, decisión
y responsabilidad.

El hombre respeta y quiere escuchar
lo que dice una mujer cuando ella habla
de manera tal que, en primer lugar,
da por hecho que él está interesado.

Las nuevas experiencias de amor
y amistad a las que nos aferramos
en el presente hacen más fácil
que dejemos en paz nuestro pasado.

Aunque no hay nada de malo en que
una mujer manifieste sus atributos masculinos,
todo se echará a perder si no se da, también,
la oportunidad de ser femenina.

*C*uando una mujer actúa e interactúa
con un hombre —dando por supuesto
que recibirá el respeto que se merece y que
obtendrá el apoyo que necesita y que
ya se merecía— automáticamente logra
conseguir lo mejor de él.

*E*l secreto para ser sensible es ser auténtico.

Al hombre le encanta que una mujer
se sienta en libertad de ser ella misma en
su presencia. Le excita su soltura,
su comodidad consigo misma y su libertad
para expresarse. Cuando ella puede ser ella
misma en su presencia, él sabe que
no tiene que cambiar para estar a su lado.

*U*na mujer sabe cuando el hombre siente confianza. Entonces, de manera automática, se relaja, segura de que verá satisfechas sus necesidades.

*S*i aceptas a un hombre cuando estás en desacuerdo con él, le das libertad para ser diferente.

*L*a confianza en un hombre hace
que la mujer respire más profundo,
se relaje y se sienta dispuesta a recibir
el apoyo que él le ofrece.

*U*na actitud confiada asegura
a una mujer que todo estará bien.

*A*cepten que está bien pensar de manera diferente con respecto al dinero, los hijos, el sexo, el trabajo, cómo pasar el tiempo juntos y demás... ustedes simplemente son de planetas diferentes.

*C*omprendan que dar amor es diferente para todos y cada uno de nosotros. Entonces aprenderán a estar el uno con el otro.

Las mujeres aman a un hombre que tiene un proyecto. A una mujer no le gusta que el hombre dependa mucho de ella como su guía.

Además de la relación, el hombre necesita tener un sentido, un propósito.

Cuando un hombre se dirige a sí mismo y es
su propia fuente de motivación, la mujer se
siente muy relajada y cómoda con él.
Porque lejos de sentir que necesita
cuidarlo, sabe que él tiene la energía y
la motivación necesarios para cuidar de ella
en ocasiones. Para ella esto es bueno.

*P*ara que un hombre decida continuar una relación, necesita recordar las razones por las cuales la mantiene.

*A*unque el hombre no sea responsable en todas las áreas de su vida, a veces es notable su capacidad para ser apasionadamente decidido y responsable en aquello que más le importa.

La certeza que tiene una mujer de que puede obtener —y de que obtendrá— aquello que necesita, la vuelve más atractiva, y evita que se desespere o sienta que algo le falta.

Las almas gemelas tienen valores similares que resuenan en armonía.

*C*uando estamos con nuestra pareja,
lo que es más importante para él o ella
encuentra eco en lo que realmente
nos importa a nosotros.

*C*uando la mujer es receptiva a lo que
le ofrece un hombre, éste recibe
el mensaje de que tal vez será aceptado.

Es de sabios conocerse a sí mismo antes de compartirse en matrimonio.

Un matrimonio con sentido debe ser la expresión libre y jubilosa del deseo de nuestro corazón.

El amor que sentimos al estar comprometidos no sólo es real y duradero, sino que también posee la esperanza de que lo sea. Es como una semilla que contiene las posibilidades de nuestro futuro. Es la base sobre la cual construiremos nuestras vidas. Para nutrir esa semilla y darle la oportunidad de crecer, debemos darnos el tiempo para celebrar nuestro amor.

$\mathcal{E}$star comprometidos proporciona una base firme y necesaria para enfrentar los retos que supone vivir juntos y compartir las complicaciones de la vida en pareja.

$\mathcal{L}$a etapa del compromiso es la oportunidad para que los miembros de la pareja creen recuerdos duraderos del amor especial que sienten el uno por el otro.

Una mujer tendrá más exito en el matrimonio si recuerda los sentimientos claros y amorosos que experimentó al comprometerse.

Es durante el compromiso cuando se tiene la mayor capacidad para aprender y practicar dos actitudes clave que mantendrán vivo el matrimonio: saber pedir perdón y saber perdonar.

El matrimonio es el reconocimiento
de que nuestra pareja nos importa
en todos los niveles y de que nos hemos
comprometido para ver que el amor
crezca en la relación.

Al cumplir con nuestra promesa de amar
y honrar a nuestra pareja por sobre
todo lo demás, nos volvemos capaces
de abrir una y otra vez nuestros corazones.

Mantener el sentido del humor,
una conciencia clara de nuestras diferencias y el
compromiso de no tomar la vida tan en serio
son las claves de un matrimonio sano y feliz.

Las probabilidades de triunfar
en el matrimonio son muy altas:
es como si en Las Vegas el
cincuenta por ciento de las personas
que apuestan ganaran en la ruleta.

Cuando nuestra alma mantiene su promesa,
nuestras vidas se llenan de sentido, gracia
y propósito. El matrimonio es el
reconocimiento de esta promesa;
esforzarse por hacerlo funcionar
cumple uno de los propósitos
más elevados de nuestra alma.

Con el compromiso de matrimonio,
automáticamente fortalecemos y apoyamos
el reconocimiento de que amamos
a esa persona tanto que deseamos pasar
el resto de nuestra vida con ella.

Cuando tenemos una relación feliz
y saludable es posible llegar a ser buenos padres.

En lugar de contener nuestro amor y afecto, deberíamos expresarlo de manera abierta frente a nuestros hijos.

Uno de los retos más grandes para una madre o un padre solteros es seguir alimentando sus propias necesidades de adulto.

PROBLEMAS DEL AMOR

Si tratamos de ver con claridad las intenciones amorosas de nuestra pareja, nuestras relaciones cambian automáticamente. En vez de sentirnos rechazados o despreciados, nos percatamos de que el amor siempre estuvo presente.

Todos cometemos errores. Perdonarlos es amar.

Cuando comprendamos que los hombres
son de Marte y las mujeres de Venus
podremos darnos cuenta de que el otro
no es obstinado, necio o terco,
tan sólo es de otro planeta.

Con un abrazo, en pocos minutos
eliminarás todo el dolor y el enojo.

Compartir valores nos vuelve más compatibles
con la otra persona. Nos ayuda a vencer
los retos que acompañan a toda relación.

Cuando nos concentramos en perdonar
las pequeñeces, entonces, de manera gradual,
nuestra capacidad de perdonar se
fortalece y nos volvemos capaces
de perdonar cosas mayores.

*P*edir perdón significa que comprendes
y valoras la respuesta de tu pareja,
y que reconoces que cometiste un error y
estás dispuesto a corregirlo.

*E*l mayor reto para una mujer es librarse
de su resentimiento y encontrar el perdón.

Una disculpa es un reconocimiento
incondicional de la responsabilidad
de tu error y la expresión de que
te comprometes a enmendarlo.

El tiempo que tarda en curarse
una herida depende directamente
de cuándo se cometió la falta.

Cuando una mujer se queja de las cosas
pequeñas, el hombre da por hecho que
ella no está valorando las más importantes.

"Cuando él propone soluciones en vez de
escucharme, no es que no le importe,
sino que se ha olvidado de lo que necesito."

*T*omarse el tiempo necesario para perdonar y curarse conduce a una mejor relación.

*S*i puedes reirte y bromear de situaciones que en algún momento provocaron una disputa, tu relación está mejorando de manera significativa.

*P*erdonar fortalece nuestro amor.
Sin el perdón no podemos crecer en el amor:
de alguna manera ejercita nuestro
amor y nos hace más fuertes.

*L*os sentimientos no resueltos son como
una sombra: no desaparecen ni
siquiera cuando dejamos la ciudad.

*C*uando hace demasiadas cosas, la mujer
pierde contacto consigo misma
y con sus propias necesidades.

*S*i te mantienes seguro de ti mismo,
no te sentirás como una víctima
a merced de los sentimientos
fluctuantes de tu pareja.

Los hombres responden mucho
mejor cuando no se les considera como
parte del problema, sino como su solución.

Sé delicada cuando ofrezcas tu ayuda
a un hombre, porque de lo contrario él pensará
que tú crees que no tiene la capacidad
para resolver el problema por sí mismo.

*D*esde niñas, a las mujeres se les enseña
a ser deseables y a no desear.

*U*tiliza las creencias negativas como
una linterna para descubrir los
sentimientos no resueltos, ocultos
en el armario del inconsciente.

Al sobrevivir a las tormentas y sequías
del amor que ocurren de vez en cuando,
al superar de manera constante el reto
de armonizar las diferencias, y al volver
a la decisión de entregarte de lleno al
compromiso de la relación, encontrarás
a tu alma gemela y vivirás feliz
por el resto de tus días.

*L*a confianza es esencial para que la mujer siga sintiéndose atraída por su pareja.

*E*n los hombres, el proceso de curación a veces se acelera cuando escucha a otras personas que están mal, mientras que las mujeres se benefician particularmente cuando son escuchadas.

El romance verdadero y perdurable
no requiere de la perfección.

Al abrir nuestros corazones debemos
asegurarnos de contrarrestar nuestro
pasado condicionamiento personal
y experimentar de manera completa
cada una de las cuatro emociones curativas:
el coraje, la tristeza, el miedo y la angustia.

*M*uchas veces, el noventa por ciento
del dolor que sentimos en el presente tiende
a relacionarse con nuestro pasado, y sólo
el diez por ciento tiene que ver con lo
que creemos que nos está molestando.

*C*uando una mujer desea la ternura
de un hombre, lo que en realidad está
buscando es su propia ternura.

El corazón se cura en un proceso
de desarrollo gradual, capa por capa.

Al relacionar el dolor que sientes
en el presente con tu dolor pasado,
liberas de manera efectiva cualquier
sentimiento reprimido previo
que limite tu capacidad para
sentir y liberar el dolor presente.

*C*urar los sentimientos del pasado fortalece
nuestra capacidad para perdonar,
agradecer y confiar en el presente.

*C*uando experimentes dolor en el presente,
obtendrás apoyo adicional para explorar
las experiencias positivas del pasado.

*U*no de los mayores obstáculos
para que la mujer disminuya sus
actividades, es no saber cómo decir
"no" de una manera amorosa.

*D*esear más sólo se convierte en problema
cuando lo que esperamos y deseamos
es imposible e irreal.

Si te tomas el tiempo para buscar la raíz
de tu dolor presente en el dolor
de tu pasado, serás capaz de encontrar
alivio inmediato y curar tu corazón.

No son las grandes cosas las que evitan
que funcione una relación: son las pequeñas.

$\mathcal{L}$a capacidad para sentir nuestras
emociones no está en la diferencia
de los sexos. Esta capacidad se ve afectada
por nuestros padres, la sociedad
y las experiencias de la niñez.

$\mathcal{E}$l hombre a veces se presiona
demasiado a sí mismo para ajustar
las cosas a patrones propios
no del todo objetivos.

Si te afanas demasiado en el proceso
de ser padre, suprimirás fácilmente
tus necesidades de intimidad y amor.

Cuando un hombre sabe que puede
resolver un problema, la energía
para enfrentarlo viene por sí sola.

*L*as parejas llegan a pelearse
por asuntos mayores, pero es realmente
el exitoso desahogo de las pequeñeces lo que
permite a una mujer darle al hombre el amor
que él necesita para seguir dando de sí.

*L*a alquimia para crear una relación amorosa
es un delicado equilibrio entre dar y recibir.

Tras años de aprender a encubrir
sus emociones para hacerse más deseable,
la mujer logra hacerse tan hábil
en el arte de disimular que, a veces,
también se engaña a sí misma.

Sin una clara comprensión de que existen
alternativas para lidiar con su dolor,
el hombre seguirá sin buscar apoyo.

*A*unque hacer sacrificios
es parte de una relación, muchas
mujeres los hacen en demasía.

*S*i no comprende claramente la importancia
de los pequeños detalles románticos,
el hombre, sin querer, dejará de
hacer las cosas que lo volvían
tan atractivo al inicio de la relación.

Es fácil ser adorable cuando estás de buen humor. La verdadera prueba de amor está en ser adorable a pesar del mal humor.

Entre más se disculpa y es perdonado, más considerado se vuelve el hombre.

*C*uando un hombre ha experimentado
la intimidad, quizá necesite, de vez en cuando,
alejarse un poco antes de acercarse más.

*C*on frecuencia el hombre siente su amor
cuando se ve directamente confrontado
con la posibilidad de perder a una mujer.

*E*n última instancia, lo que más atrae
a un hombre de una mujer es cuando
ella lo hace sentirse masculino.

*L*as mujeres, hoy día, experimentan un
profundo deseo de sentir la íntima pasión
que sólo proporcionan una buena
comunicación y un buen romance.

Necesitar más no es una desviación
pero el no reconocerlo lo es.

Cuanto más autosuficiente se vuelve
una mujer, más crecen sus ansias
del nutricio apoyo que brindan
los sentimientos románticos, la amistad
y el compañerismo de un hombre.

$\mathcal{L}$as mujeres modernas han llegado
a ser tan responsables de sí mismas que
ya no es tan evidente la razón por
la que necesitan del hombre.

$\mathcal{P}$ara encontrar el perdón, la mujer necesita
hablar sobre sus sentimientos hasta
que sienta que el hombre comprende
por qué está molesta.

Una mujer no tiene que estar desvalida
para pedirle ayuda a un hombre,
tampoco tiene que estar
desvalida para pedir su apoyo.

Probar nuevas cosas te da más energía
y te hace más atractiva.

No hay mayor error que detener
tu vida por un hombre.

Sobre la base de que ciertos temas son
inevitables, un hombre puede comenzar a darse
cuenta de que la frustración que experimenta
tiene más que ver con su actitud ante las
situaciones, que con la mujer que ha elegido.

Lo que los hombres más necesitan
es apartar su atención de las grandes
cosas y enfocar mejor las pequeñas.

El mayor desafío para un hombre
es dar un paso adelante cuando sus esfuerzos
pasados no han sido reconocidos.

Cuando los hombres y las mujeres
no se comprenden entre sí,
malinterpretan sus acciones y no comunican
adecuadamente sus sentimientos;
son incapaces de alimentarse exitosamente
entre sí y obtener lo que necesitan.

El amor verdadero consiste en aprender
a amar a una persona real
con todas sus fallas y diferencias.

*M*uy en el fondo, si alguna parte
del hombre llega a sentirse lastimada,
rechazada o inadecuada, conforme se va
acercando más a una mujer estos
sentimientos comenzarán a salir a la superficie.

*C*uando liberamos el resentimiento con
una mejor comunicación, y mediante
comprensión y perdón, nuestras diferencias
ya no se manifiestan como obstáculos.

El hombre necesita darse cuenta de que
es posible complacer a una mujer
sin hacerse responsable de su felicidad.

En una buena relación las parejas
se esfuerzan por enfrentar sus retos
y terminan acercándose más.
Son capaces de ver hacia atrás y reirse
de sus frustraciones y desilusiones.

COMENZAR DE NUEVO

¿Cómo saber si deberías volver
a intentarlo? Nadie puede responder
a esta pregunta por ti; debes
escuchar a tu corazón.

Para compartir exitosamente con
otra persona, necesitamos curar
nuestras carencias y tener
un firme sentido del yo.

Cuida de no reprimir tus sentimientos,
porque a veces dan lugar a tendencias
autodestructivas.

Si estás comenzando de nuevo,
confía en que encontrarás el amor que
mereces. Busca la inspiración necesaria
para compartir el amor especial que sientes
muy en el fondo de tu corazón.

Si eres capaz de proporcionar la cura al corazón herido, éste crecerá aún más fuerte.

Cada vez que te confías a tus sentimientos de atracción y, después de conocer a una persona, ésta se va, en realidad te estás preparando para ser atraído por la persona adecuada.

Cuando se cura el dolor de nuestro
corazón, quedamos en paz
y llenos de amorosos recuerdos.

El solo acto de decir "no" a una
relación que no es la correcta para ti,
agudiza tu capacidad de ser atraída
por la persona adecuada.

*E*s imposible que tu corazón
se abra del todo a otro cuando
está completamente cerrado
a alguien de tu pasado.

*I*nmediatamente después del rompimiento
y antes de involucrarse en otra relación,
es importante para un hombre recuperar
de nuevo su sentido de independencia,
autosuficiencia y autonomía.

*P*ara curar nuestro dolor
debemos sentirlo, pero también
reconocer que pertenece a nuestro pasado.

*P*odemos crear la actitud adecuada
para curar nuestros corazones dándonos
el tiempo necesario para explorar nuestros
sentimientos pasados y fortalecerlos
con nuestro deseo de encontrar el perdón,
incrementar nuestra comprensión, expresar
agradecimiento y confiar de nuevo.

*R*ecuerda que la aurora del nuevo día
aparece cuando el momento más oscuro
de la noche ha pasado. Las cosas a veces
se oscurecen pero la luz del amor
y el consuelo siempre llegan.

*T*omarse el tiempo para curar
nuestros corazones es una forma poderosa
de aumentar nuestra autoestima.

Con un corazón abierto, nuestra alma
nos hará saber si debemos continuar
con una relación o romper con ella.

Cada vez que sigues a tu corazón
y luego reconoces que una persona no
es para ti, estás dando un paso más
hacia la persona adecuada.

El tiempo que gastas en cualquier relación
no es una pérdida, si aprendes de ella
y la complementas de manera positiva.

La diferencia entre el éxito y la derrota
es la capacidad de aprender de nuestros
errores y volvernos más juiciosos.

Cuando una relación termina,
es bueno tomarse el tiempo
para reflexionar sobre lo que ésta nos dio
y volver a comenzar. Cuando
te sientes agradecido por algo,
estás listo para continuar.

La manera en que lidiamos con la pérdida
del amor revela automáticamente
cómo responderemos al amor en el futuro.

Las mujeres fuertes, independientes,
firmes y exitosas a veces tienen dificultades
para encontrar al hombre adecuado y
sostener una relación, principalmente
porque esas mismas características
que las hacen exitosas en el trabajo a veces
las hacen fracasar en las relaciones.

Un buen final hace un buen comienzo.

Marte y Venus: 365 formas de vivir enamorado,
escrito por John Gray,
reitera que el patrimonio sentimental
de quienes se aman
consta de una inversión inicial
y cuotas diarias de cariño, ternura
y comprensión.
La edición de esta obra fue compuesta
en fuente goudy y formada en 15:21.
Fue impresa en este mes de Diciembre de 2000
en los talleres de Brosmac, S.L.,
que se localizan en la calle C, 31
Pol. Ind. Arroyo Molinos, Móstoles.
La encuadernación de ejemplares
se hizo en los mismos talleres.